JN153954

ドクターエッグ

⑤カマキリ・ナナフシ・アリジゴク・トンボ

かがくるBOOK

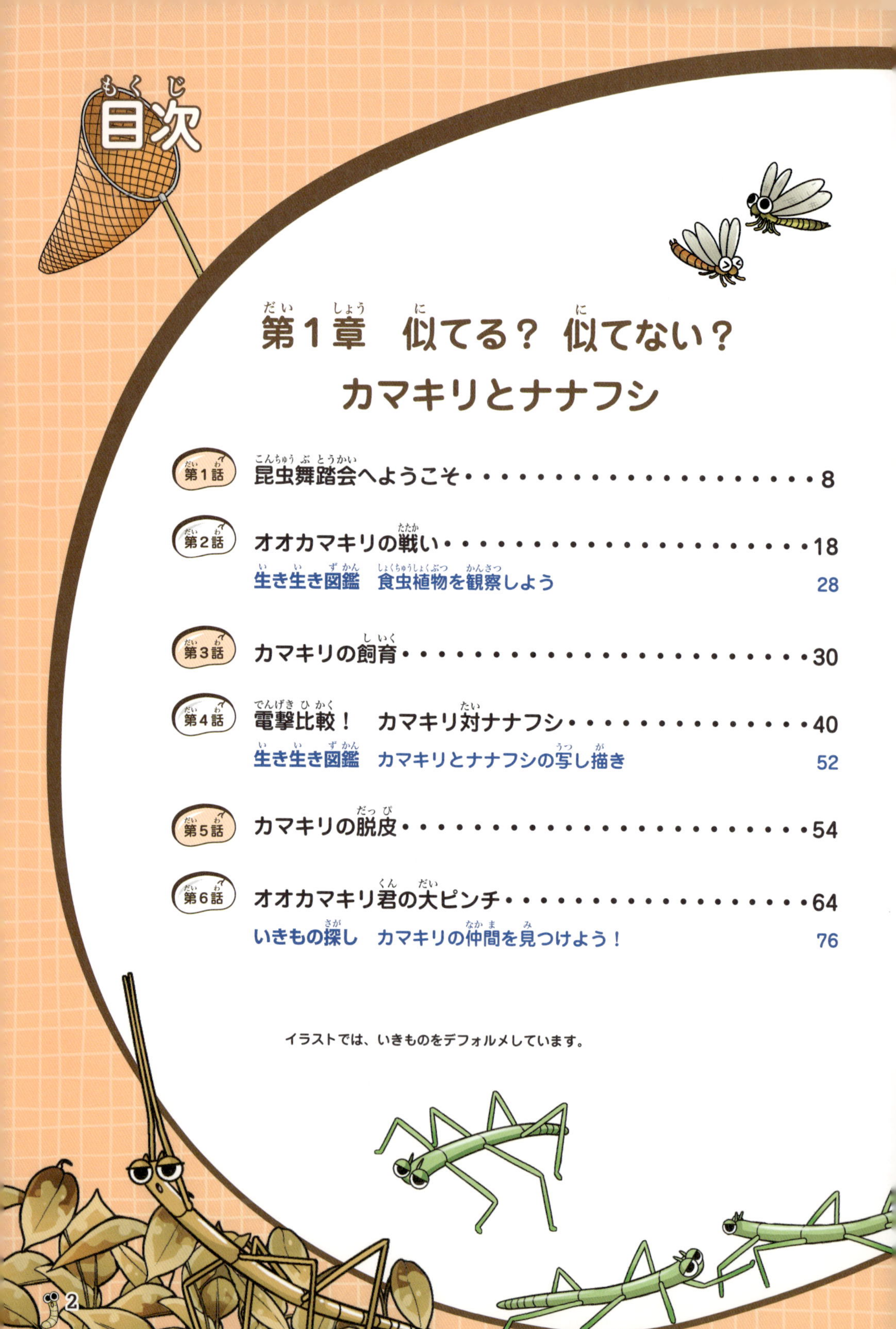

目次

第1章　似てる？ 似てない？ カマキリとナナフシ

イラストでは、いきものをデフォルメしています。

第2章　本格的トンボ観察！

写真提供：Shutterstock

登場人物

エッグ博士

生物と仲良くなる能力★★★★★

- **誕生日**　6月15日（ふたご座）
- **血液型**　A型
- **今回のミッション**

①カマキリの家づくり　②ハエトリグサの管理

③ハリガネムシの生態の探究

④ハッチョウトンボとのコミュニケーション

ヤン博士

採集への情熱★★★★★

- 誕生日　1月1日（やぎ座）
- 血液型　AB型
- 今回のミッション

①秋の昆虫採集　②ゲンゴロウを驚かす

③低速度撮影でヤゴの映像を撮る

ウン博士

知識の応用力★★★★★

- 誕生日　2月17日（みずがめ座）
- 血液型　A型
- 今回のミッション

①カマキリとナナフシの比較

②絶滅危惧種のトンボ探し

③トンボキング訪問

第1章

似てる？ 似てない？ カマキリとナナフシ

細長い体とあしをもったカマキリとナナフシは、
外見は似ているけれど、まったく違う種類の昆虫なんだよ。
両者の特徴を調べてみよう。

第1話
昆虫舞踏会へようこそ
ZZZ
おチビちゃん、こっちおいで！
ウウッ！ダメ……！
ジュルル
ビク
ビク
ヒイッ
ち、近寄るな！

ハッ！夢だった！
ガバッ

でも……、
今日はどうしてこんなに静かなんだろう？
キョロ
キョロ

オオカマキリくーん!!ハロ〜！
ドーン
何してる？
ウワッ！びっくり！

ブハハ！こいつ、めっちゃこわがり！
ブハハ
ククク
俺らと同じカマキリだとは思えないね〜。
い、いきなり飛び出してきたからだろ！

君たち、どこに行くの？
おめかしして。
フフン
今日パーティーがあること、忘れてた？本当の大人になる日だぞ！

あ、そうか！今日がその日だった！
早く準備して行こう〜。

今日は
昆虫舞踏会の日！
いろんな昆虫が集まって
楽しいパーティーを
するんだ！
トンボ
キリギリス
テントウムシ
コオロギ
トノサマバッタ
ペチャ
クチャ
ウマオイ
コカマキリ
オオカマキリ
（褐色型）
オオカマキリ
（緑色型）
オーイェ～！
パーティーだ、
パーティー！
ハラビロカマキリ

昆虫舞踏会へようこそ
*ホタル
ショウリョウバッタ
スズムシ
トンボ
夏から秋に多く見られる昆虫で、池や沼に卵を産みます。
カマキリ
主に草原に生息し、長い前あしで獲物を捕らえて食べます。
テントウムシ
アブラムシを食べる昆虫で、敵におそわれると、においのする黄色い液体を出します。
バッタ
幼虫も成虫もおもに植物を食べます。山や野原などで見られます。
イナゴ
水田や草地などでよく見られます。日本ではイネの害虫とされる一方で、一部の地域で、佃煮などにして食べる習慣があります。
コオロギ
草原や庭の石の下などにいて、オスは前ばねをすり合わせて鳴きます。
*ホタル：日本では、ホタルが光る時期は初夏ごろが一般的ですが、対馬（長崎県）や韓国などでは、秋に光るアキマドボタルが見られます。

あれ見な！メスカマキリたちだぞ！
メンティ、元気？
リボン、かわいい〜！
ヒソ ヒソ
元気！
あっ、オオカマキリ君も来た！
メンティ

今日絶対彼女を見つけるぞ！
気に入った子いる？
ツン ツン

ウワア……！あの人、誰……？
えっ？

あのお方はパーティーの女王、ハナカマキリさまだよ！
ジャーン
まぶしい！
すごくおしゃれできれい！

東南アジアの熱帯雨林から来たんだって～！
本当？ まるで花のよう～。
ドキ
ドキ

フフ！

ワァァ
キャ～！女王さま！
僕と踊って！
私たちは目に入らないみたい！
チッ

今日オオカマキリ君と一緒に踊りたかったのに……、無理そうだなぁ。
女王さま、すてき～！

みんなどけ！女王さまは僕のものだ！
ボコッ

ザワザワ
おお、わが女王さま！私の手を……！
いいなあ、選ばれて。
スーッ

ガブッ
ハッ!!
ウワッ！

急に攻撃したぞ！
キャアッ
ヒィィッ
みんな逃げろ!!

この状況って夢で見たシーンなんだけど!?
ガブッ
キャオオ～
ブル
ブル
ウワッ!
キャアッ

何してるんだ!
逃げなきゃ、バカ!
スタタッ

おチビちゃん、
こっちおいで……。
クルッ
アア……。

ブーーン
カマキリのメスがオスを食べるって本当だったんだ!
早く渡って!
う、うん!

今日は１匹も
捕まえられなかったね〜。
ガラ〜〜ン
そうだね、僕らが
来るの遅すぎた？

あれ？

ウワッ！
キーイッ！

ハア！
ハア！
ハア！
ジロッ

どうしたの、
ヤン博士？
スタタッ
カマキリだ、
カマキリ！！

あれ、
確かにここに
いたのに！?
キョロ
ヨイショ
ヨイショ

一瞬で
消えちゃった。
……。
バタン
捕まえたい
気持ちが強すぎて幻を
見たんじゃない？

さあ、遅く
なったからもう
帰ろう～。
ブルン ブルン

フー、
助かった。
ブーン
フフ……、おチビちゃん。
いつかまたここに戻ることに
なるでしょう……。

第2話

オオカマキリの戦い

今日の昆虫採集は
みごとに失敗！
パタン
全然見なかったけど、
どうしたのかな？
残念〜。
今日はみんな
昆虫舞踏会に
行ったからね。

せめてさっきの
あのカマキリを
捕まえていれば……。
検索
してみよう。
カマキリの
生息地は……。
チッ チッ チッ
トン
トン
まだ
あきらめて
ないの？
幻を
見たのさ。

違うってば！
本当に
見たんだ!!
わ、
わかったよ！
ヒョッコリ

あの炎のようなカリスマ性！ 鋭い目つき！ はっきり見たんだ！
ピカ
ピカ
炎の採集王、このヤン博士とそっくりだったんだ！
そりゃ、炎の採集王、ヤン博士が採集で０点なんて認めたくないよね。
トントン
わかった、見たことにしよう。
見たことにするんじゃなくて、本当だって！
ボ～
ボ～
ハッ！
ウワッ
コラ－－ッ

僕のこと信じろって～!!
ドスン
ドスン
ダダダダ
ピョン
炎のような性格だね！
ウワアッ、わかった！

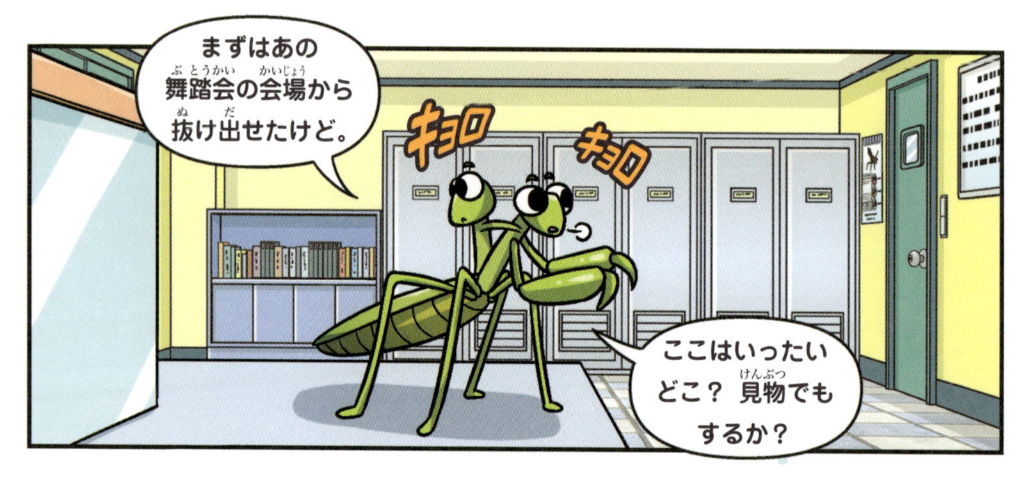
まずはあの
舞踏会の会場から
抜け出せたけど。
キョロ
キョロ
ここはいったい
どこ？ 見物でも
するか？

あれ？ 初めて
見るやつだ。
前あしに
ハサミが
ついてる？
お前は
誰だ！
スコール
（第４巻に登場）

昆虫の化石
（第１巻に登場）
あの子たちは
どうして閉じ込め
られてるんだ？

うん……、
食べ物？
クン
クン

ブ～ン
ピタッ
思ったより
おいしいぞ……！
ペロッ

え？
ガ
シッ
ギクッ

ハッ
ゴオオ
だ、誰だ！
お前は！

ピクッ
ギュッ
ハッ!!

気持ち悪い
やつだな！
よし、かかって
こい！ 相手に
なってやる！

＊蟷螂拳：カマキリが獲物を捕まえるときのポーズをまねて編み出された武術の技。

昆虫を捕食する植物 ハエトリグサ

ハエトリグサは、においでアリやハエといった小さな昆虫をおびき寄せて捕食する植物です。ハエトリグサの葉の内側には感覚毛が生えており、昆虫がこれに触れると葉がすぼんで閉じられるのです。葉の中に閉じ込められた昆虫は、葉から出る消化液によって溶かされ、ハエトリグサの栄養になります。

ハエを捕食しているハエトリグサ

バタ
バタ
バタ
バタ
あれ？
何の音？

ハッ!!
カマキリ!!?
ガチャッ
ウワッ！
助けて!!
ギュッ
ウ〜ッ

みんな
早く来て！
ウッ
ウッ
ビューン
カマキリが
どうしてここに
……!?

少し後
カマキリを
つかんでて！
アタ
ハエトリグサ、
口を開けろ！
バタ
バタ
フタ
そーっと、
そーっと！ 気を
つけて……！

プンプン
ヤン博士の言った通りだね。
そうだろ!? さっき見たあのカマキリに違いない!
なんてヤツだ! よくも僕の前あしを……!

ここまでどうやって来たの?
なりゆきで……。
ガサ
ゴソ
まずは家をつくって休ませてあげよう。

これでいいよね?
待って!

このカマキリはまだ成虫になる前のカマキリかもしれないよ。
鋭いね!
ジロッ

どうして?
このカマキリ、すこし小さく見えるし……。

カマキリは、幼虫の段階ではまだ体が小さく、はねがなかったり、みじかかったりするんだ。
うん。
カマキリは幼虫がさなぎを経ずに、何度か＊脱皮して成虫になるだろ？ 脱皮するごとに体も大きくなっていくんだ。
じゃ、脱皮をするかもしれないんだね！
そう！ それならもう少し大きな家が必要でしょ？

カマキリがしがみつける家をつくったら動画配信を始めよう！
いいね!!
ワァ〜

バタバタ
バタバタ
うん？

カマキリ対ハエトリグサ　2回戦
ダ
ダ
よくもあしをはさんだな！ただじゃおかないぞ!!
ダッ
やめて、やめて！すぐに家をつくってあげるから！
パクン
パクン
パクン
ウワァ

＊脱皮：皮や殻を脱ぐこと。

カマキリについて知りましょう。

カマキリはカマキリ目に属している昆虫です。世界中に約2000種が生息していて、幼虫は春から夏まで、成虫は夏からに秋に見ることができます。

オオカマキリの成長

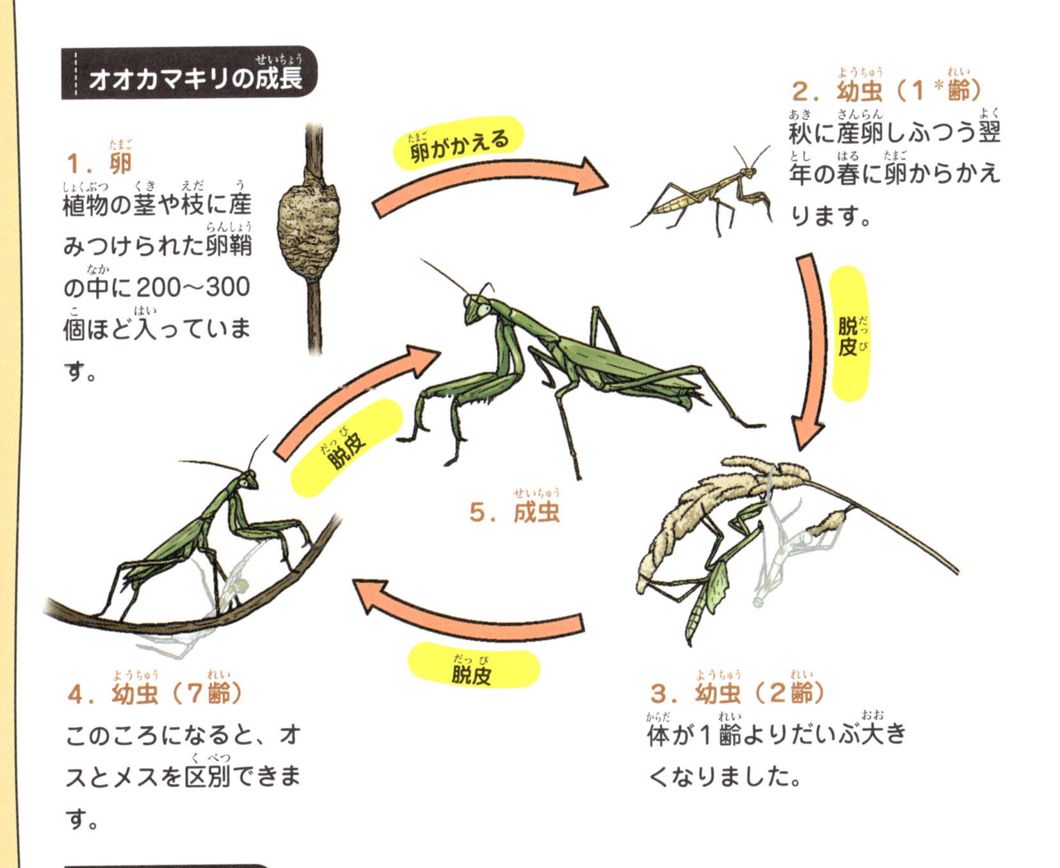

カマキリの脱皮

脱皮するオオカマキリ

オオカマキリは7回ほど脱皮して成虫になります。脱皮したばかりのカマキリの体はとてもやわらかいので、飼育するときは傷つけないように気をつけます。また、脱皮の時期は、湿度を高く保つことも重要です。

＊齢：昆虫の幼虫の発達段階を区分する単位。卵からかえって1回目の脱皮までが1齢、それ以降脱皮ごとに2齢、3齢と続く。

食虫植物を観察しよう

ハエトリグサ

北アメリカ原産の植物で、ふつう鉢植えで栽培します。口を開けたような形で葉を広げ、中に入ってきたカ、ハエ、ガ、小さなバッタなどを捕食します。食虫植物も光合成でエネルギーをつくり出すことができますが、栄養分の少ない土地に生えていることが多いため、足りない栄養分を虫を捕えることで補っていると考えられています。

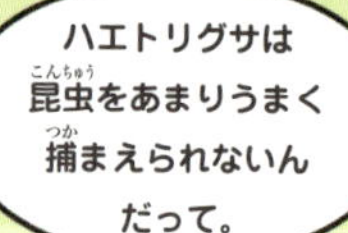

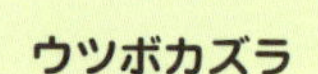

ウツボカズラ

葉が変化したつぼ形の捕虫袋をもつ植物で、昆虫が好きな独特なにおいを漂わせます。このにおいにさそわれてやってきた昆虫は、袋の口の部分ですべり、捕虫袋に落ちるのです。

昆虫などの小動物を捕食する食虫植物を見てみましょう。

モウセンゴケ

しゃもじ形の葉は、ねばねばした液体が出る赤い長い毛でおおわれています。

ねばり気のある液体に昆虫などがくっつくと、獲物を溶かして栄養分を吸い取ります。

ムシトリスミレ

スミレのような花が咲く食虫植物です。

葉から出るねばねばした液体に昆虫などがくっつくと、ねばり気のある液体で溶かして栄養分を吸い取ります。

第3話

カマキリの飼育

こんにちは、皆さん！今日は僕らについてきたかっこいいオオカマキリと一緒に配信するよ。
どうやってついてきたのかわからないけど！
車に乗ったんだよ〜。

その前にまず知っておかなければいけないのは、カマキリの飼育はかなりむずかしいこと。
スーッ
そう、僕は甘くないぞ！

カマキリが落ち着く家をつくるんですが、ウン博士、準備はできましたか？
は〜い、できてます！

エッグ博士と一緒に

カマキリを飼育する

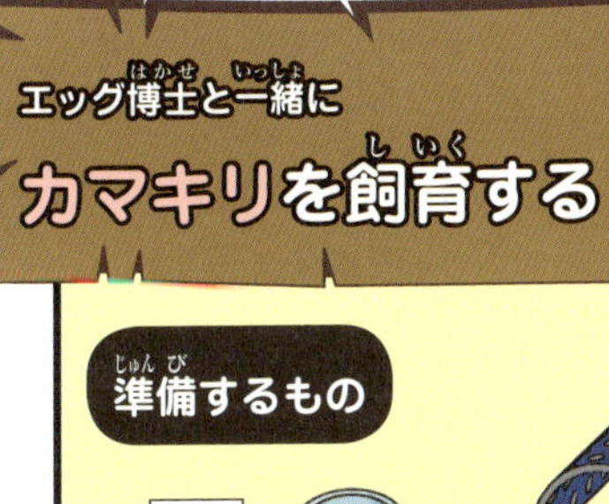

準備するもの

床材
土でよい。

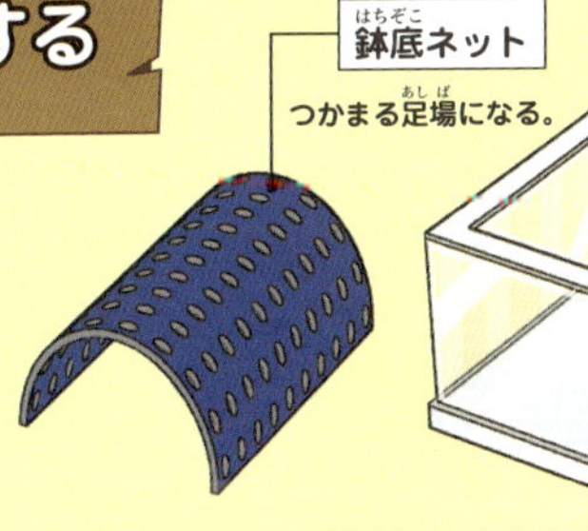

鉢底ネット
つかまる足場になる。

飼育ケース

❶飼育ケースの準備

成虫になると体長が10cmほどに育つので、広くて深いケースがいいでしょう。

❷足場を用意

脱皮のために安全につかまることができる足場が必要です。

❸温度や湿度の調整

床材があると湿度を調節しやすくなります。

適正温度：20～25℃
適正湿度：60～65％

☆ヒント☆

❶生きた小さな昆虫などのえさを入れてください。
❷飼育ケースは日光が強く当たらない、風通しのよい場所に置いてください。
❸脱皮をするときは湿度を高く保ってください。

ウワ！
ここいいね！
ブラ
ブラ
安定してる。
ぶら下がって遊べる場所もあるし、
草も多いし、
自然の香り～！
クン
クン
温度と湿度も完璧！
カマキリが気に入ったみたいだよ？
満足～

さあ～！ 次はヤンシェフの出番！ 食べ物は任せて！
ジャ～ン

クルッ
ペッ
どうしたの、オオカマキリくん!?

あっ！ そうなのか～。僕としたことが！
カマキリは生きているえさしか食べないんだ。自分で捕食できるようにしてあげよう。

＊寄生生物：他の生物の体内や皮ふにすみついて栄養を得る生物。＊ハリガネムシ：類線形動物門ハリガネムシ綱に属する生物。

＊宿主：寄生生物に栄養を奪われる生物。

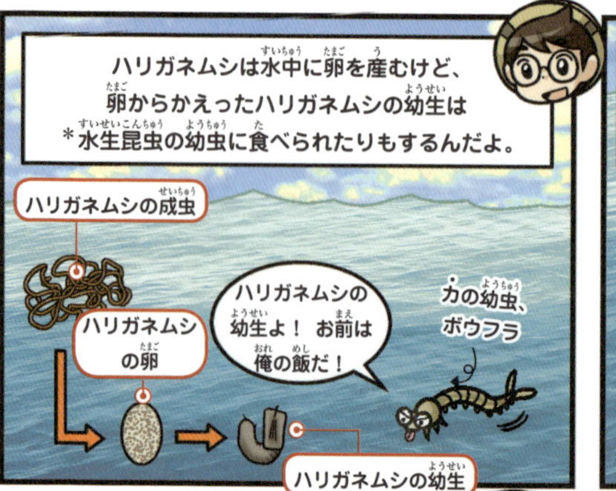

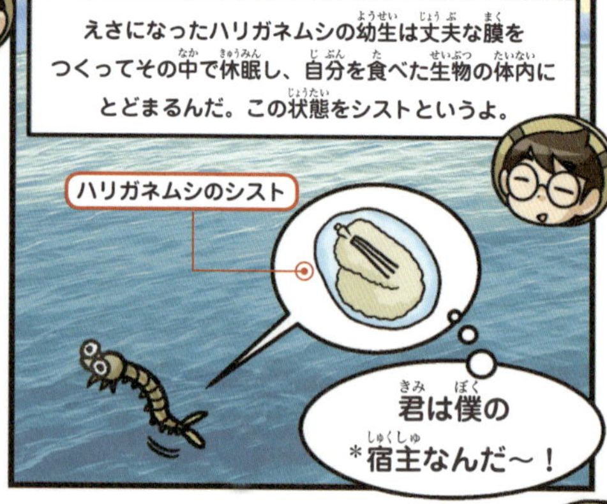

このとき宿主の体内にいた
ハリガネムシの幼生は、水生昆虫から
大型昆虫へと宿主が替わるよ。

私、ハリガネムシはスクスク育ってる途中。

＊水生昆虫：トンボ、カゲロウ、カワゲラ、カなど。多くは幼虫が水の中で生活する。

昆虫の捕食者、カマキリ

カマキリは体が大きく、肉食です。狩りが得意なカマキリの体のつくりと、えさや天敵について見ていきましょう。

体のつくり

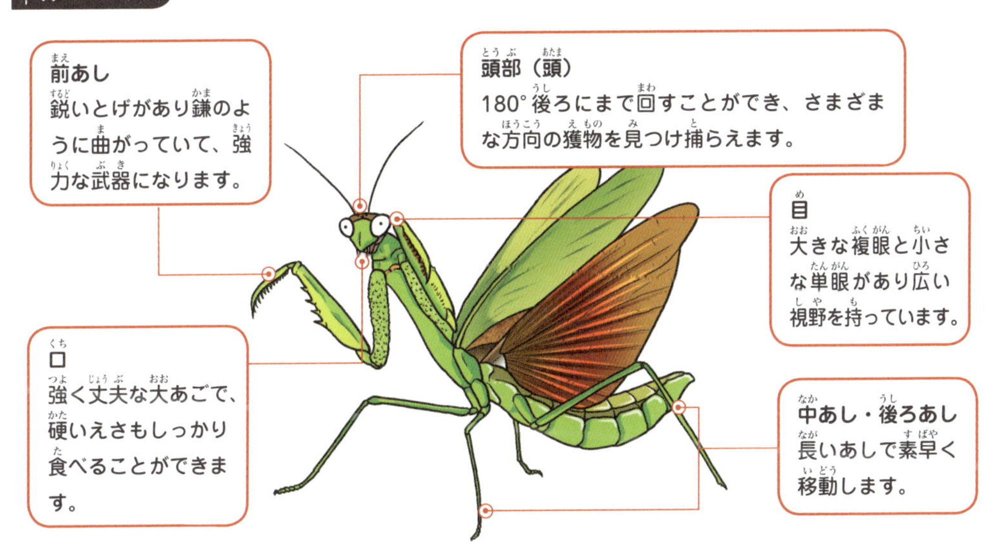

えさと天敵

カマキリが食べるもの

カマキリの天敵

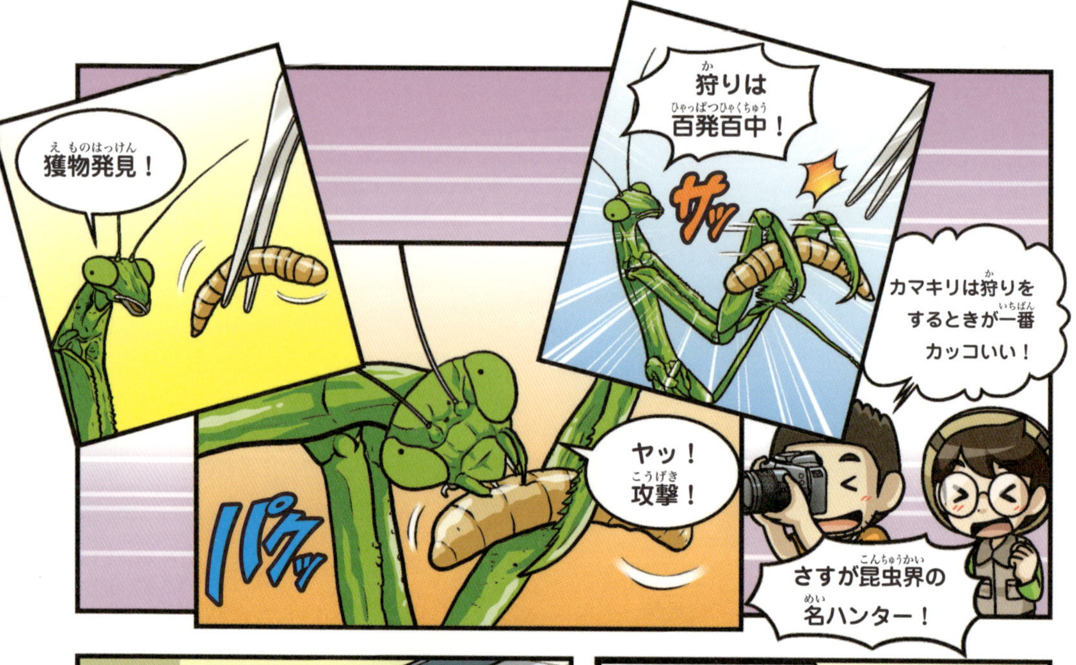
獲物発見！
狩りは
百発百中！
サッ
カマキリは狩りをするときが一番カッコいい！
ヤッ！
攻撃！
パクッ
さすが昆虫界の名ハンター！

相手をおそれない性格と前あしの狩りの技術～！とても魅力的。
パク
パク

それだけじゃないよ。カマキリは変身も得意なんだ。
そう、そう！それは僕がよく知ってる。

以前、チョウを撮ろうとしたら偶然カマキリが写ってたんだ。
カマキリがまぎれていたんだね。
ゴクッ

結局ヤン博士はその写真で賞までもらってさ。
へへ、感無量だったよ！

カマキリの変身術

カマキリの仲間は、得意の変身術で天敵から体を隠したり、気づかれずに獲物に近寄ることができます。

花に見えるカマキリ

枯れ葉の形をしたカマキリ

派手な姿のカマキリ

枝にそっくりのカマキリ

コケにおおわれたように見える

さあ！　今日も
歴史に残るステキな写真を
撮るよ！
ニコッ
うん？

ガサッ
どこ行くんだい、
オオカマキリ
くん!?

変身術には
もうだまされないぞ。
絶対探してやる！
ヤン博士の情熱は
止められない～！
カシャッ
カシャッ
カシャッ
これじゃ
プライバシーが
守れない……。
どこに
隠れた～？

うん？　あれ
何だろう？
どうした？

おお！
あそこに何か
ある！
何だ？
スタタッ

すごい！
ここにもカマキリが
いる！
カシャ
カシャ
これだから
カメラが
手放せないんだ！

おお、
いつからついて
たんだろう？
スッ

ドドーン
待って！
このいきものは
カマキリじゃなくて
ナナフシだ！

電撃比較！カマキリ対ナナフシ

ナナフシも
カマキリの
仲間かな？
ああしてると
2匹とも似てる。
見るな！
何だよ～。

ナナフシはカマキリと
見た目は似てるけど
別の種類の昆虫なんだ。
何だよ～、
同じ昆虫
どうし
だろ！
俺の家に
手を
出すな！

常に
撮影する姿勢！
すばらしい～！
すべて僕の
カメラに写った
おかげさ！
森に生息していて
なかなか見られない昆虫なのに、
ここで会えるなんて。
コラッ

この勢いで
ナナフシとカマキリの
比較写真を撮ろう！
いいね！

カマキリ対ナナフシ比較観察！

頭部（頭）
三角形の頭に大きな２つの複眼と小さな３つの単眼、そして長い触角があります。

はね
成虫には２対のはねがあり飛ぶことができます。

胸部（胸）

腹部（腹）

カマキリ

前あし
鎌の形をしており、のこぎりの歯のようなとげがぎっしりついています。

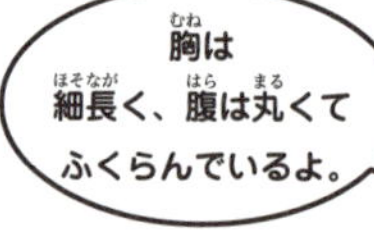

カマキリは肉食性！
鋭い前あしで0.1秒で捕まえる！
ガシッ
ガオ
＊広葉樹：葉が広い樹木。サクラ、ブナ、ケヤキなど。
ナナフシは草食性！
＊広葉樹の葉を食べる！
ガリガリ
はね
ほとんどのナナフシははねがないか、あっても短くて飛べないといわれています。
頭部
頭は丸くて触角が短い。
ナナフシの体は木の枝に似てるよ。
ナナフシ
あし
長いあしは、胸から3対生えています。
ナナフシは敵におそわれると自分であしを切って逃げるんだ。
逃げるぞ！

でも、どうやって
ナナフシがここにまで
来たんだろう？
カマキリのように
僕を追いかけて
きたのかな？
ブンブン
ブンブン

どうやって来たかって？
うちの事務所はいきものたちが
好きな場所だよね？
違うんだ。
ブン
ブン

!!!
ヒョコッ
あの、
外に……。
オ～、
本当にまた
来た！
やっぱり！
僕が言った
通りだろ？

新しい仲間も
歓迎だよ！
早くおい……。
ガラ
ガラ

ヒイッ！
パラ
パラ

ウワッ！
これ何だ！
ウワッ！
どうして
虫が……。
どうして
こんなに虫が？
ウ……、
気味悪い！
捕まえて
くれ！

思ったより
深刻な問題だぞ。
ダメだ。
キャ～
僕らが行って
手伝おう！

考えてみたらうちの
事務所の周辺にはナナフシが
好きな広葉樹がたくさん
あるね。
ザワ
ザワ
でも、
急にこんなに
増えるかな？

こんにちは、MRN放送のキム・ティティです。
グワ〜ッ！
ウワッ！
私は今、ナナフシが大発生しているという現場に来ています。

ウジャ
現在、この公園一帯をはじめとした市内のあちこちにナナフシの群れが押し寄せ、
市民が苦情を訴えています。
ドングリ公園
ウジャ
この場所の他にも複数の森林でナナフシによる被害が出ています。
ナナフシを捕まえに出発！
ウジャ
ウジャ
ウジャ
キムさん、あの……！
ウジャ

ビクッ
え？僕たち？
少しインタビューしてもいいですか？
虫退治の専門家ですか？
ホホー！
タタタタ

ナナフシを退治している最中のようですが、
ここでナナフシが大発生した原因は何でしょうか？
僕らも初めて……。

うーん……、やっぱり周りにナナフシの好物のブナの木が多いからじゃないかな？
なるほど～、ブナですね！
さすが！エッグ博士！

ここの生態系に何か問題が起きたようです！
この場所は以前山林でしたが、都会になることで、生態系が乱されているのかもしれません。
つまり都市化が、自然の生物に影響を与えた可能性があるということです。
ニュース出演で張り切るヤン博士。
おお、そうなんですね。

でも、最大の理由は冬の気温上昇のせいです！
え!?
スッ

ドーン
ナナフシ専門の
退治グループみたい。
あら！
あれ見て！
フッ
たっぷり
ウワ～！
カッコいい。

ナナフシは、百個以上の
卵を産むといわれます。
ほとんどの卵は寒い冬に
死んでしまいますが、この前の
冬は暖かかったので生き残った
卵が多かったんです！

気温上昇ですか？
そう思う理由は？
スタタッ
ハア……

フッ、これくらい僕らの
ような採集の達人には
朝飯前なんです。
では、この多くのナナフシは自分で
捕まえたんですか？
ウッ、
採集の達人の
称号は僕の
なのに！
……。

でも、むやみやたら
捕まえるなんて
ひどいじゃないか！
サッ
ナナフシが
多くても時間が
経てば……。

時間が経てば勝手に
消えるって？
その通り〜。
ニコッ
え？

ある年はドクガの仲間のマイマイガが多くて、別の年は
カメムシの仲間のアオバハゴロモが多かったり。毎年、
いろいろな生物が大量発生することがあるけど、
これは時間が経てば自ずと減ります。
私たちは、急を要する
被害だけ収拾しているところ
だったんです。
そうだった
んだ〜。

じゃ、この
ナナフシたちは
どうするつもり
ですか？

ナナフシを必要と
する昆虫館などに送る
つもりです。
または、子どもの
教育に使えるよう学校などに
寄贈することも
考えています。
配信？
ナナフシについて
私たちが動画を配信してお伝えする
計画もあるんです。

すばらしいですね！
ありがとう
ございます。
とんでもないことです～！
すごい！
パチ
パチ
やるなあ……。

あ……、わかった。
あのチームは最近、
いきもの動画を配信し
はじめたグループだ！
何？
あの人たちも？

あいさつが
遅れました、
先輩……！
ツカ
ツカ
せ、先輩？

こんにちは、
僕らは生物をテーマに
放送をしている「明日は
採集王」です。
ああ、
はい……。
ガシッ

会えて
光栄です～！
先輩の
チャンネルを見て
勉強しています。
ジ～ン
ああ……、
光栄だなんて。
生物の
動画？
ぜひ、僕たちと
仲良くして
ください。
ザワ
ザワ
ザワ
うん、エッグ
博士の後輩
だって～。

思いがけない出会いだった。
チーム・エッグ事務所
そうだね。

なんだかいい人たちだったね。
時々連絡し合えたらいいね。
同じことをしているからか話が合うよ。

「先輩」って……、初めて呼ばれた～。
やっぱりいきものが好きな者どうしは通じ合えるんだね！
ジ～ン
彼らの動画も見てみよう。
フフ
フフ、エッグ博士のおかげで僕らも有名になれるぞ。
ドン
彼らの人気を利用しちゃおう！
アハハ、これからとんとん拍子だ！
あっという間にスターになってやる！

カマキリとナナフシの写し描き

エッグ博士が出会ったカマキリとナナフシです。イラストをまねて下のスペースに絵を描いたら、好きな色で塗ってね。自分で描くと細かいところまでよくわかるから、観察力がアップするよ！

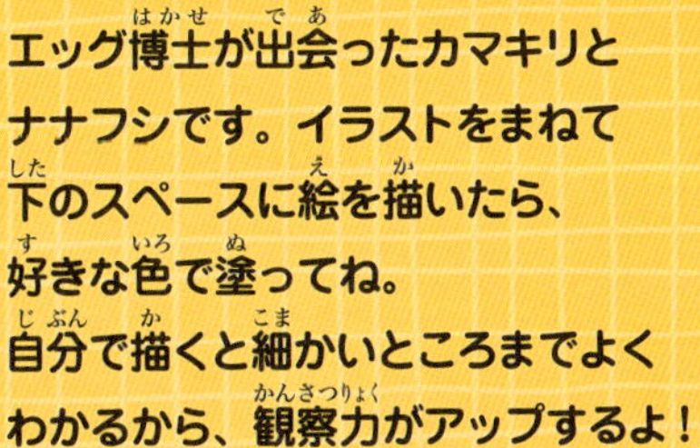

カマキリの脱皮

☆集中探究☆
カマキリは暗い場所にいると目の色が黒くなるそうです。

脱皮の準備のためにあしをしっかり固定しよう！
左右に動きながらグ～ッとストレッチ！
背中の皮が割れたら頭と胸を押し出すぞ！
あしを抜き出せば……！
無事脱皮に成功！これから体とはねを乾かさなきゃ！
☆集中探究☆
カマキリは脱皮の時期になると逆さになってぶら下がります。脱皮の後、体が完全に乾くまで24時間以上かかるといわれています。

シャラララー
まだ完全には乾いてないけど！
ヤッホー！最後の脱皮が終わった。これで本当の大人だ！

あの日のパーティーではみんな逃げられたかな……。
みんなも今ごろ大人になったかな？

ウウッ！今考えてもゾッとする！
ブン
ブン

ガブッ
ガシッ
あの日の夜……。

クン
クン……
あれ？
これ何の
におい？

ヘロ
ヘロ
ウワ！
すごく
甘い～！

ヨイショ
いったい
何だろう？

外から入って
きてるぞ……！
シャララー
ヨロ
ヨロ

ヒョイ
チーム・

ピカッ
この
においは……!!

＊フェロモン：昆虫などの動物が分泌する化学物質。メスがオスをさそうフェロモンは、性フェロモンと呼ばれます。

ナナフシ特集の動画を作るとき、彼らの助けを借りるのもいいよね？
そうなれば本当にいいね！

そうだ、うちのオオカマキリくんにえさをあげなきゃ。
タタッ
早くあげて！

ハッ!!
どこ行った!?
ドドーン

オオカマキリくんがぬいだ皮だけを残して消えた！
エッグ博士、またふたをちゃんと閉めてなかっただろ!!
違うよ!!

ぬれ衣だ！ さっきナナフシを捕まえにみんなあわてて出かけただろ！
最後にふたを持ってたのは誰？
僕じゃない。
考え中……

うん、僕だ！
ほら見ろ！
犯人

ウン博士は毎回
僕だけを疑う！
クルッ
へへ、
ゴメ～ン！
プイッ

でもさあ、
オオカマキリ君は
脱皮して出て
いったんだよね。

それならたぶん体がまだ
乾いてないから、遠くには
行けてないはず。
鋭いね。

やっぱり！
あそこにいた！
どこ、
どこ？

このうっとり
するにおい～！
僕のパートナーは
どこなんだ～？
ヨロ
ヨロ

早くおいで、
おチビちゃん。すっかり
大人になったね。
フフッ

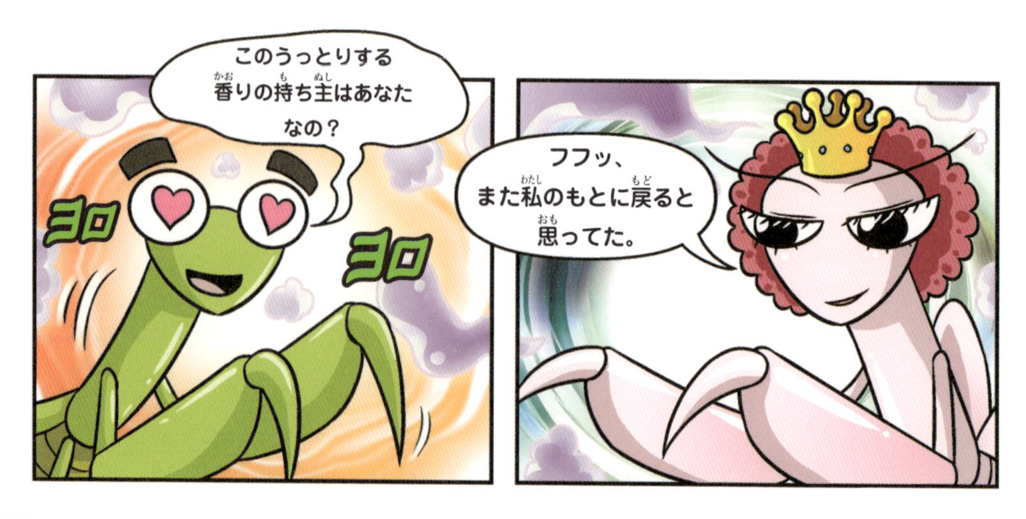
フフッ、
また私のもとに戻ると
思ってた。
このうっとりする
香りの持ち主はあなた
なの？
ヨロ
ヨロ

フェロモン
作戦が通じた
みたい！
ああ、きれい！
フェロモン注射
ヘロ～

ホホッ、
私にすべてを
捧げるって？
僕のすべてを
捧げます！ 僕の
パートナーになって。
ガバッ

ギラッ
あなたの命を差し出せる？
ならば……！

カーッ
ハッ
あ!? この目の光は……！
ええ……!?

第6話

オオカマキリ君の大ピンチ

女王さま！！
僕が戻ってきました！
何！？
ドドーン

あんたは舞踏会のときに私にかまれたでしょ？

またかまれてもいい、僕をもらってください！
ガバッ
ま、待ちな！
スッ

ラッキー！
ウッ、しまった！
へへ
スタタッ

クンクン
あれ？

フリ
コラッ
あっち行きな！
フリ
僕をもらって！
僕がついてきたあのにおいじゃないぞ？
ゾーッ

そこ待ちな、おチビめ！
パタパタ
危ないところだった。
ピョン
ピョン
僕はもうチビじゃないもん！

オオカマキリ君、ここよ！ こっちに来て！
スーッ
あっ、メンティ !?

シャララー
ハッ
この香りは……！

メンティ、君の香り
だったんだね〜！
ピョン
久しぶり！
オオカマキリ
君！

会ってない
うちにすごく大きく
なったね！
君こそ僕より
ずっと大きくなった
けど……。

それに
すごくきれいに
なった〜！
テレ
そう？

実はこの前の
舞踏会であなたと
踊りたかったの……。
本当!?

ドシーン!!!

フン、ここにいたのね！
ニャッ
し、死んじゃった!?
僕は死んでも構わない……。ジュニアのためなら！
ポックリ
ハッ

変なこと言わないで！オオカマキリ君のパートナーは私！
サッ
何だって？

スッ
こっちに来な、おチビちゃん！私があなたのパートナーだよ。
ギクッ

メ、メンティ、気をつけて！
私は以前の私じゃない！　もうれっきとしたレディだよ！
バチ
あ〜ら、舞踏会のとき、はしっこでじっとしていた娘ね。私に挑むつもり!?
バチ

見つけた！
ここにいた！
ガサッ
アッ、
博士たちだ！

ちょうどよかった！
助けて、
博士たち！
え？
オオカマキリ君、
どうしたの？
ピョン

キャオオ
ドタ
バタ
ドタ
バタ
ウワッ
ウワッ！
メスどうしが
けんかしてる！
殺伐と
してる～！？

けんか
ストップ！
捕まえて、
捕まえて。
メンティ、
がんばれ！
ゴタ
ゴタ
ブン
けがしない
ように、そっと！

フウ、
危なかった。
チーム・エッグ
事務所

これで２匹だから
もっと広い場所に
引っ越そう～！
自分で
パートナーを探しに
行くなんて！ もう
大人だね！
カマキリたちが
無事でよかった。
パン
パン

……僕らの目を避けて
愛を語り合っていたのか。
ハァ
ラブ
ラブ

あれ？ いつの間にか
オオカマキリのカップルが
いなくなったよ。

メスがオスを食べようが
食べまいが、どっちも繁殖に
有利な選択なんだ。
メスのカマキリが
みんなオスを食べる
わけじゃないんだ。
メス
オス

ハッ！
オオカマキリ君は
平気かな？
カマキリは交尾のとき、
メスのカマキリがオスを
食べるって聞いた
けど……。
ハッ

ふつう、オスを食べたメスのカマキリは、そうじゃないメスのカマキリより卵をたくさん産むんだ。

一方、オスが交尾の後も生き延びた場合、また別のメスと交尾ができるから、これもカマキリの繁殖に有利なんだ。

どっちが繁殖により有利なのか……。
果たして2匹はどっちにするのかな？
メンティ～！僕のこと食べないよね……？
心配しないで！もう森でお腹いっぱい食べたから～。
ヒッ
ヒッ

交尾の後
おお！オオカマキリが生きてる！
平気～
生き延びた！
フゥ～

僕は赤ちゃんカマキリ用のホテルをつくらなきゃ～。
卵鞘が楽しみ！
ワ～
僕は何を準備しようか？
メンティ～、コオロギ食べて元気出して！
ありがとう！

カマキリの卵と幼虫

カマキリの卵

カマキリは秋に交尾をします。ふつう、9～10月ごろに卵を産みます。オオカマキリでは、200～300個ほどの卵が、卵鞘の中に入っています。

オオカマキリの卵鞘　ⓒphotolibrary

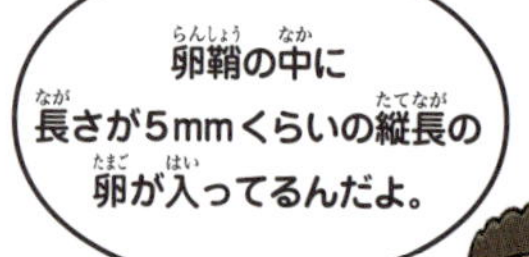

カマキリの幼虫

冬が過ぎて春になると、カマキリの幼虫が卵の中から出てきます。カマキリの幼虫は草むらで、自分より小さな昆虫などを捕食して生きています。

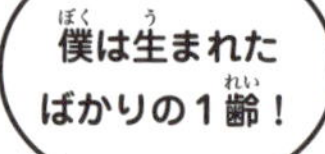

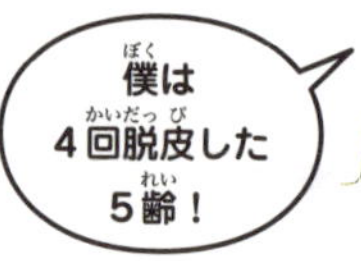

3週間後
見て〜!メスのカマキリが卵を産んだよ!
ウワ、本当だ!

卵は自然に戻すのはどう?
なぜ!?

卵鞘から出てくる幼虫は数百匹だよ。室内で管理するのは難しくないかな?
キャハハ、僕らはカマキリ軍団!
ウジャ
ウジャ
数百匹!?
ピタッ
無理
無理

それはそうとメスのカマキリが元気ないよ。産卵がすごく大変だったみたい。
オスも……。
ダラリ

産卵したメスは、間もなく死んじゃうらしい……。
オスも交尾の後、体力を消耗して早く死ぬらしいよ。
無気力……
僕らがちゃんとケアすればもう少し長生きできるかな?

みんな、ご飯を
食べて元気出して
長生きしなきゃ！
ミルワーム
平気だよ……！
僕たちもう目を閉じても
思い残すことはないよ。

博士たちのおかげで
無事に大人になって、いい
パートナーと出会い卵を
残せたんだもの。
卵鞘は私たちの
故郷にお願い
するわね。

悲しむなよ、
ヤン博士。新しい
生命が生まれただろ。
赤ちゃんが生まれるところが
見られたらいいのに……。
グスン
グスン

そうだね、生物が死んだ
後には別の生命が
その空いた席を
引き継ぐはずだね。

ママ、パパが
空から見守ってるから。
赤ちゃんカマキリたちも、
新しい世界に出会って
大人になるはずだよ。
ワア～、昆虫舞踏会だ！
ママ、パパ！ ついに僕らが
本当の大人になる日だよ！
間もなく生まれる赤ちゃんカマキリは、
来年開かれる昆虫舞踏会に出席して、
ママとパパの空席をしっかり
埋めるはず～！

カマキリの仲間を見つけよう！

すくすく育ったカマキリたちが昆虫舞踏会で楽しい時間を過ごしています。
あちこちにいるカマキリを見つけてね！（全部で６匹）

正解：154ページ

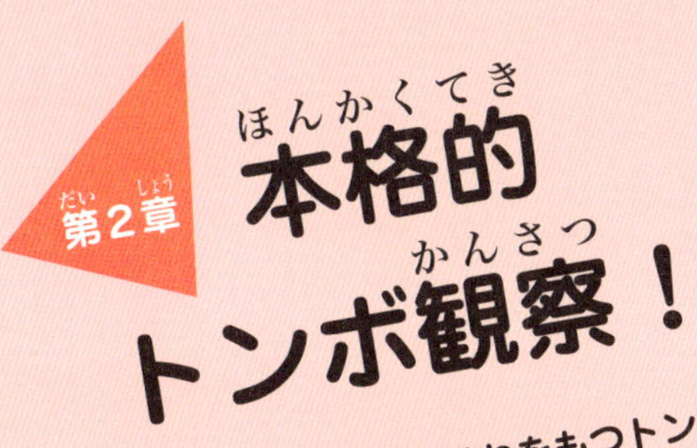

第2章 本格的トンボ観察！

大きな目とすばらしいはねをもつトンボ！
青い空を自由に飛び回るトンボに会いに行きましょう！

アリジゴクに気をつけよ！

みんな、
僕はあっちから
行くよ～！
ヒョイ
何？

どこに行くんだ！
働きアリ24号！
砂の道は
危険だぞ！
ダダダ
フフ、心配無用！
僕が1等で巣に
帰るから！

1等だ！
アリの巣
ササッ
ダダダダダ

ツルッ
あれ!?

ドーン
ウワアッ!!
これ何!?
フフ！ やっと
かかったな！
スルスル

アタ
フタ
アリジゴクだ！
おそろしいあの大あご！
早く逃げなきゃ！
ドン

ゴォォォ
入るときは簡単だが出るときは違うんだ！

ジタ
パッ
バタ
痛い！
パッ

ダダダダダッ
コツン
ツルッ
えいっ！
コツン
ツルッ
砂が当たってちゃんと上がれない！

キャッ！
コツン
コツン
クルッ

アアアアッ!

ハッ!
あれ見て!
アリジゴク
じゃないか!?

どこだ!?
24号!!

フム、
始めるか?

たいへんだ!
働きアリ24号が
アリジゴクに
やられた!
逃げろ!
ゲップ!
お腹いっぱい〜!
捕食完了!

こんにちは！
「明日は採集王」です！
トンボキング
ここはトンボの
生態が観察できる
「トンボキング」生態館です。
●REC

先ほど砂の中でアリを
捕食するウスバカゲロウの幼虫、
アリジゴクを見つけました。
アリジゴクは
2、3年後に成虫に
なります。
幼虫であるアリジゴクの
時代を終えると、はねをつけた
成虫のウスバカゲロウに
なるのです。

では、今から
おそろしいアリジゴクの
狩りをお見せします。
進行、
いいね！
ついてきて
ください。
ズン
ズン

ウスバカゲロウの幼虫、アリジゴク

アリジゴクはアミメカゲロウ目ウスバカゲロウ科に属するウスバカゲロウの幼虫だよ。ウスバカゲロウとアリジゴクについて説明するね。

ウスバカゲロウは*完全変態をするんだ。

*完全変態：昆虫が、卵→幼虫→さなぎの３段階を経て成虫になる育ち方。

ウスバカゲロウの一生

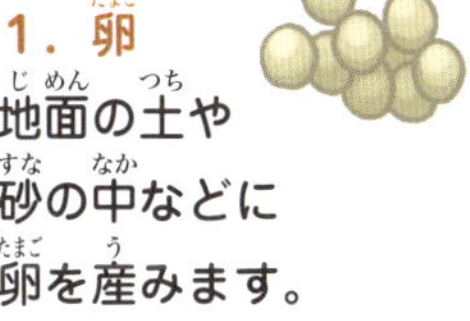

1．卵
地面の土や砂の中などに卵を産みます。

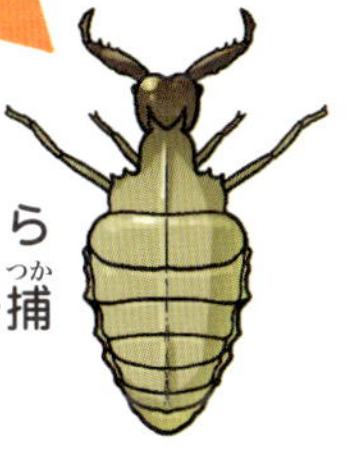

2．幼虫
２年以上もの間、地面に掘った巣穴でくらし、小さな昆虫などを捕まえて食べます。

3．さなぎ
お尻から糸を出してまゆを作り、この中でさなぎになります。まゆの表面には土や砂がついています。

4．成虫
全体的にこげ茶色ですが、胸の下やあしはうすい黄色で、はねの*翅脈がはっきりしています。

*翅脈：昆虫のはねにあるすじ。網目のように見える。

アリジゴクの獲物の捕らえ方

アリジゴクは土や砂にすりばち形の巣穴を掘り、その底で獲物が来るのを待ちます。この巣穴も「アリ地獄」と呼ばれます。獲物が巣穴に落ちてくるとアリジゴクは獲物に向かって砂を投げかけます。それから大あごで獲物を捕まえ、体液を吸い取ります。

巣穴の底に隠れているアリジゴク

アリジゴクの巣穴は通常、直径1～6cm程度です。

☆集中探究☆
アリジゴクは、３～６カ月ほど
えさを食べなくても生きていられます。

リーダー！
別のアリジゴクを
見つけたよ！
ツン
ツン
おお！　あっちへ
行って撮影しよう！

デロン
でもどうしたんだろう……？
体をひっくり返したまま動かないぞ。

おい、アリジゴク！
早く起きなよ！
☆集中探究☆
アリジゴクは敵におそわれると、
じっと死んだふりをします。
なんと１時間以上も動かないことが
あるそうです。
ツン
ツン
あんたらが行くまで
一歩も動くもんか！
死んだのかな？

ウワ!!
ブ〜ン
ゴールドバッジを
もらうためにここまで
来たのに、協力して
くれないよ〜！

ゴールドバッジ大会は
登録者数と再生回数を増やす、
とってもいいチャンスだぞ。
グッ
そうだよ。
絶対取らなきゃ！

フム……。エッグ博士の
チームを呼ぼうか？
前回の撮影のときはエッグ
博士が出て再生回数が
すごく増えただろ。
何？　あのチームが
参加すると僕らが
不利じゃない？

エッグ博士チームは
最終日に来るから、映像を撮る
時間があまりない！
僕らはもう
ここでたくさんの映像を
撮っただろ！
キラッ
ゴールドバッジをゲットするのは
僕たち、「明日は採集王」チームだ！

第8話

トンボがいっぱいのここはどこ!?

ゴールドバッジ大会はこの漫画のお話の中の大会です。

ちょうどトンボを
撮りたいって言ってたよね。
よかった！
かなり
気になるね！
行こうよ、
トンボ
キング～！

エッグ博士は
どう思う？
……。
ガサ
ゴソ

サッ
さあ～、早く
準備しなよ！
いきものの魅力を
伝えるなら僕らは
外せないよね！
エッグ博士、
は、早い！
準備完了

しばらくして、トンボキング生態館
ザワ
ザワ
ワア！
トンボ飛行機
だ！
ザワ

着いた!!
ウワ!
すごく広い!
思ったより
人が多いね?
ワイ ワイ
ザワ ザワ
本館

ところでトンボは
どこだろう?
キョロ キョロ

ヒュ〜
アッ!
あそこにいた!
ついて
いこう!

タ
タ
タッ
ウワ！
ここは……！
野外湿地だね。
トンボがいっぱい！
トンボ
湿地
シオカラトンボの仲間
ヒメアカネ
イトトンボの
腹は本当に
糸みたいに
細い！
リュウキュウベニイト
トンボ
ワア、
速い～！
ギンヤンマ
ノシメトンボ
ノシメトンボ
大好き！

いろいろなトンボ
ショウジョウトンボ
オニヤンマってとても大きい！
オニヤンマ
水辺にいるアオハダトンボ、ステキ！
アオハダトンボ
ウスバキトンボ
チョウトンボ
チョウトンボのはねってきれい！

＊ハッチョウトンボ：世界で一番小さいといわれるトンボの1つ。日本では多くの都道府県により、絶滅危惧種、準絶滅危惧種などに指定されています。

ワサ
ワサ
トンボキング
スタッフ
ルール１！
トンボキング内では
絶対いきものを捕まえちゃ
ダメよん！
ドーン
口調が独特。
ハッ！
誰ですか……？

ガラ
こんにちはん、私は
トンボキングのスタッフだよん。
ゴールドバッジ大会に
参加しに来たのん？
トンボキング
スタッフ
ガラ
はい！
こんにちは！

入場時間ギリギリに
着いたんですねん。これから
トンボキングのゴールド
バッジ大会について簡単に
紹介するわん。
はい、お願い
しますん！
……うつった？

今回の映像テーマは
トンボやカゲロウだよん。時間内に
魅力的な映像か写真を
提出してくださいねん。
審査の結果、選ばれた
優勝チームには栄光のゴールド
バッジを差し上げます
よん。
それに私ども
トンボキングで用意した
別のイベントやプレゼントも
あるから楽しみに
してねん！

ルールをくわしく教えてください！
このメモを参考にしてねん！

ルール1
いかなる場合も、いきものは絶対に捕まえないこと。
ルール2
決められた時間内に写真または映像を提出すること。
2つのルールさえ守れば、どこでどうやって撮影しても皆さんの自由だよん。
虫取り網は没収するよん！
エ～ン
簡単だ。

クルッ
じゃ、フェアに競ってくださいねん！
トンボキングスタッフ
ガラ
ガラ
あれってみんな没収された虫取り網だね。

採集ができないのは残念だけど、カメラだけで勝負するのも面白そうだ！
ここならトンボの映像を思う存分撮れそうだよ。

僕らは少し遅れて始めたから急がなきゃ。
あそこで案内図を配ってる！
総合案内図配布所
総合案内図、もらってってね～！
あれを見ながらどこから撮るか決めよう。

フフ！
早く来い！
エッグ博士チーム！
撮影準備、OK！

本館から見る？
ジ〜

「明日は採集王」のライブ、始めます！
今、私の後ろの方、見えますか？
エッグ博士チームもここ
トンボキングに着きました〜！
トンボキング本館
ジャジャーン
明日は採集王LIVE
リアルタイムチャット
何？ エッグ博士？
ドユン
ヤン博士とウン博士も来たの？
ダウン
おお、本当だ！
今回のゴールドバッジ、すごく面白そう！
ウンニョン
現在256人が視聴中
いいぞ！
接続者数と再生回数がどんどん増えてる！

トンボの自己紹介書

トンボキングに生息するトンボたちが、自己紹介をしています。
トンボの紹介と写真が合うように点をつないでみましょう。

ハッチョウトンボ
世界で一番小さなトンボの1つ。体長は約18mm。オスは体があざやかな赤、メスは体に薄い黄色と茶色（や黒）の横縞があるよ。

チョウトンボ
青紫色の大きなはねをもっているよ。チョウのように見えることもあるかも。池などの水辺が好きだよ。

アオハダトンボ
主に水辺にいて、卵も水中に産むよ。輝く青緑色の体が自慢！ 日本では本州と九州にいるよ。

トンボの大きさ比較

実際の大きさはこの絵の4倍くらいだよ。

ハッチョウトンボ

チョウトンボ

ウスバキトンボ

ショウジョウトンボ

アオハダトンボ

オニヤンマ

トンボのイラスト ©iStock

オニヤンマ

日本最大のトンボだよ。体長が10cmにもなるんだ。複眼は緑色。体は黒い地に黄色の縞模様があるからわかりやすいよ。

ウスバキトンボ

体が全体的に黄色いんだ。はねが大きくて飛ぶのが得意。長い距離も移動できるよ！

ショウジョウトンボ

オスは体全体が唐辛子のような赤色になるよ。田んぼや沼に行くと会えるよ。

正解：154ページ

第9話

トンボのオスの縄張り争い

☆集中探究☆

トンボのオスは自分の縄張りに他のオスが侵入すると攻撃して追い出します。自分が選ぶメスを他のオスに取られないようにするためです。

☆集中探究☆

ギンヤンマのメスは、水中にある草の茎などに卵を産みます。

２週間後に卵がかえると
この後輩たちのようにステキな
ヤゴに育つはず。
どれ、うちの
後輩たちは元気にしてる
かな～？
ビュン
ヤッホー！
狩りの時間だ！
ボウフラだ、
捕まえろ！
トンボの幼虫だ！
逃げろ！
ビュン
ミジンコ、
オタマジャクシ！
待て！

ガブッ
モグ モグ
☆集中探究☆
卵からかえったトンボの幼虫を
「ヤゴ」といいます。ヤゴは口の下から
大きな下あごを素早く伸ばして、ミジンコや
ボウフラ、オタマジャクシなどの
水中の小さな生物を捕食します。
ムシャ
ムシャ

さすが僕らギンヤンマは最高の狩人だね！
いいぞ、後輩たち！

君は水中生活が終わったようだね！
うん、体を乾かしているんだ。

脱皮が終われば僕もすぐカッコいい大人のトンボになれるよね？
そりゃ、もちろん！がんばれ!!
スーッ

あっ、あれは！
ドボン

手あたり次第食べてやる！今日はヤゴを食べようかな!?
モグ
ガシッ
俺は水中にすむ肉食性の昆虫ゲンゴロウだ！
ガブッ
ヒーッ
ウワッ！

ゲンゴロウだ！
気をつけろ！

ドドッ
逃げられるとでも！
みんな逃げろ！
ウワァ

えいっ！
速いな！
ササッ
ササッ
ササッ

シ〜ン
ウッ、みんな
どこに隠れた？
キョロ
キョロ

ハッ
見つけた！
10時方向、
ヤゴ発見！
ニュッ

ククッ！
観念しろ！
体が固まって動けないし、
ここまできて死ぬなんて
……。
シクシク
もうすぐ
トンボになれると
思ってたのに
……！

ウッ、
どうしよう！
クル
クル
ビューン

見て！　ここに
ゲンゴロウがいるよ！
スー
ハッ!?
黒い影
ウワッ、
何だ？

ヤゴの写真Ⓒphotolibrary

＊羽化：幼虫やさなぎが脱皮して成虫になること。

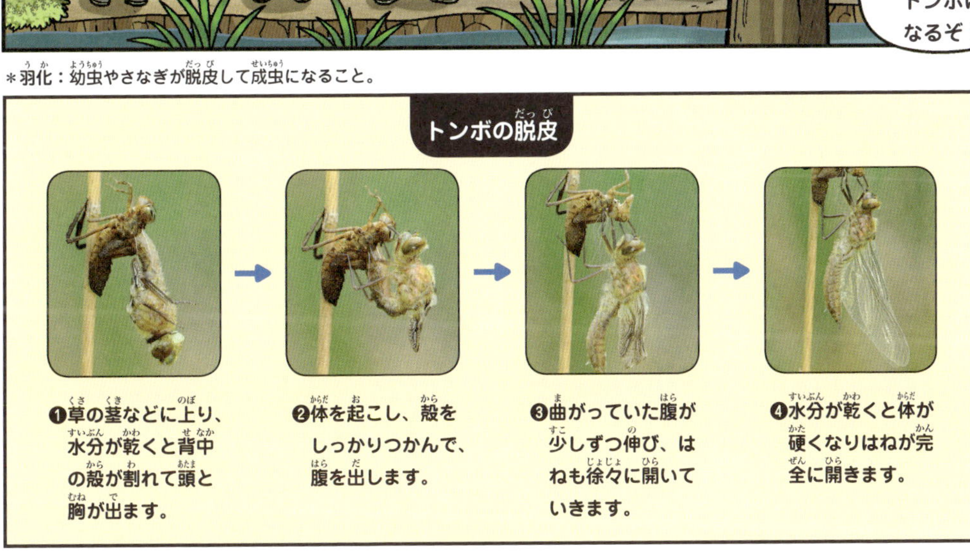

じゃ、カメラを１台
ここに設置しておいて脱皮のようすを
撮ろう。その間にもう１台のカメラで、
別のものを撮影すればいいよ。
カメラをいくつも
用意してたの？
最高だね！

それはそうと、
「明日は採集王」チームは
どこにいるんだろう。
キョロ

来たね！
先輩〜！
タッ
タッ
噂をすれば
「カメ」って
言うけど〜。
「影」じゃ
ない？

遠くまでお疲れさまです！
ゴールドバッジ大会に先輩たちが参加しない
のがもったいなくて。連絡が遅くなって
すみませ〜ん。
まあ、少し
急だったけど……。
今日が大会最終日
らしいね！
びっくり
したよ。
ハハハ
率直だなぁ、
エッグ博士。
平気、平気〜！

まあ、1日あれば十分さ。
そうだよ。動画は量より質だから！
1場面でも心を込めれば魅力的な映像が撮れる可能性もあるさ！
ギクッ

はは……！ 先輩、ゴールドバッジをもらうほどの映像を撮るためには、時間をかけなきゃいけないんですよ！
僕たちが望んでも、トンボが決定的な場面を演じてくれるわけじゃないですし。

NO~! NO~!
ゴールドバッジがもらえたら、もちろんうれしいよ。
でも、僕たちの一番の目的は、トンボの自然な魅力を見つけることなんだ！

何？ 僕らがゴールドバッジをもらっても、そんな余裕をかましてられるかな！
そうだね～。ここでトンボの隠れた魅力をよく探してみよう～！
そ、そうですね！自然な魅力探し……！胸を借ります！

第10話

トンボの狩り

おっと！
クルッ
ウッ！
ツルッ
パタッ
ビューーン
アアア～！

トンボの狩りのシーンがなかなか撮れない！
キレッ
フン、そんなうまくいかないさ。
キレッ

トンボの飛行速度は
速い種類だと時速50kmを
超えるって言うけど……。
そうだね。
まるで生きている
飛行機だ。
ククッ、
計画通りだ。
ゼイ
ゼイ

飛行機より
すごいですよ。
バックしながら飛ぶ
トンボもいますし。
オオ！

トンボの飛行や
狩りの映像を1つでも
撮れればいいけど。
生き生きとした姿が
撮れれば、意味のある
映像になるんじゃ
ないかな？
ダメだな。
でも速すぎる。

そうだ、先輩！
僕たちは大会初日から
映像を撮ってたんです。
じゃ、
たくさん撮れたん
じゃない？

もちろん！ 今まで
撮った映像が10本ほど
あります。
狩りの場面を
見てみます？
いいね、
いいね！

「明日は採集王」が取材したトンボの狩り！
トンボは前後左右、上下、どの方向も見られるんです。大きな目でカゲロウのような小さな昆虫も簡単に見つけるんです。
Z Z
ブ～ン
ブ～ン
ハッ
見つけたぞ、カゲロウ！
トンボは飛びながら狩りをします。あしには鋭いとげがあって、獲物をつかみ取ることができるんです。丈夫な大あごで獲物をかみちぎって食べるんですよ！
ガシッ
ガブッ
モグ
ムシャ
ギュッ
トンボは２対のはねで素早く飛び、空中で小さな昆虫を捕まえます。オニヤンマは１日に体重の10分の１のえさを食べるといわれています！

昆虫の名ハンター、トンボ

空を飛び回る**トンボ**は、狩りをするのに適した体のつくりをしています。トンボの体を見ていきましょう。

はね

長くて薄い２対のはねがあります。

目

１対の大きな複眼と３つの単眼があり、首を動かさなくても270度の視野があるといわれます。

あし

とがったとげのついた３対のあしが捕まえた獲物を逃しません。

大あご

大あごが発達していて、獲物をかんで食べます。

ワア～、すごい！
トンボの狩りのシーンがカッコよく撮れてる！
どうやって撮ったの？
ウラワザがあるのさ～！

僕らはようやく1つ撮っただけなのに。
いや、撮っているところだよ……。
脱皮の場面だ！
ジ～

せ、先輩～！ちょうどいい場所を知ってるんです。
いい場所？
僕らは別の計画があるけど……。

一緒に行きましょうよ。そっちがもっといいはずです！
どこなんだ？
パチッ
ドド
ド～
早く～！

……。
ヒュ～
わかった、行こう！
とにかく行きましょう！
コッソリ
ドドド～
真似するのは気が引けるけど、僕たちもヤゴの脱皮シーンを撮らなきゃ～！

ジャーン
ガラ〜ン

シーン
ここはちょっとさびしいね……。
飼育室だろ？どうしてここに……。

僕たち、先輩の映像をよく見るんですが、時々いきものを飼育しながら観察してますよね。役に立つかと思って紹介したんです！
キョロ
キョロ

ありがとう！でも僕たちは今トンボを……。
それはもちろんトンボを主人公に撮らなきゃいけませんよね？
ヒュッ

ここでトンボを観察しながら、トンボと他のいきものの間の食物連鎖まで撮影できれば一石二鳥じゃないですか？
ベラ
ベラ

フム……。
今回の作戦は少しバレバレかな……？
ハラハラ

すごいね！? 一理ある！
フゥ
バレたかと思った！

じゃ、先輩～！ ここでステキな映像を撮ってくださいね！
ドドド
バイバイ～
君らはここで撮影しないの？
僕たちはもう撮影したんです。 じゃ、後ほど～！

飼育館
じゃ、一度見てみよう～！
クククク
フフ……！ あんな奥まった倉庫で何の映像を撮るってんだ！
だよな～、思ったより単純じゃない？

コマサナエは朝鮮半島にいるトンボ。

ヒュ〜
トンボの天敵
カエル
あ、
あれは!?

さっき入り口にいた
ハッチョウトンボ……。
パチッ〜
トンボの天敵
カエル

モグ
モグ
ウギャアッ
ダ、ダメだよ!
その子は絶滅危惧種
なんだぞ!!!

ペッペッ
ペッ〜
思ったより
まずい!
ハッ……!
ハァ……
吐き出した!
コトン

ヒュ〜
カエルもハッチョウトンボが絶滅危惧種だって知ってて、助けてあげたみたい。
トンボの天敵
カエル
本当にそうかな？

あれ！?
あそこに別のトンボがいる！

ワア！
あのトンボは何だ？
初めて見るよ！?
どれ、どれ？
あれはベッコウトンボだ！

ベッコウトンボが登場！

絶滅が心配されるベッコウトンボが登場しました。
2つの絵を見比べて、違うところを10個見つけてみましょう！

正解：155ページ

絶滅危惧種のトンボを探せ！

ベッコウトンボは、日本でも環境省により絶滅危惧種に指定されています。

ソロリ
!?
気をつけて！
ソロリ

あっ！
行っちゃった！
ヒュ～

追いかけよう！
スタタッ

ダ
ダ
ダ

タッ

野外湿地に
つながってたのか。
おお！
トンボの
群れだ！

トンボは水生昆虫だから
湿地から離れられ
ないんだ。
やっぱり湿地が
主なすみかと
いうわけだね。

絶滅が心配されるトンボ
ハッチョウトンボ
ベッコウトンボ
これ見て！

絶滅が心配されるトンボ
ハッチョウトンボ
ベッコウトンボ
希少なトンボが
ここにいるみたい！
近くで見られると
いいなぁ……。

大会終了まで
あと２時間。
じゃ、残り時間は
絶滅危惧種のトンボを
撮ることにしよう！

植物に化けて撮影！
ガサッ
寝ながら撮影！
シーン
君たち、もう吸わないでよ～！
虫刺され撮影！
チュー
チュー
ベッコウトンボ
ハッチョウトンボ
Ⓒ韓国国立生物資源館
手つなぎ撮影！
離さないでね～！
ブルブル
気持ちを集中！
い、いかだが沈みそう！
ウワァ
水上撮影！

一方、そのころ
交尾をするトンボ
露がついたトンボのはね
いいね、いいぞ～！
カを捕食するトンボ
休んでいるトンボ

これならゴールドバッジは僕らのものだ！
それに……！
コクッ

エッグ博士チームのおかげで僕たちもすばらしい映像が撮れたじゃないか！
そうだね、脱皮の映像！
僕らのカメラの方がよく撮れてるはず。

エッグ博士チームはまだ来てない？
クス
相変わらず飼育館の奥にいるんだろうね～。
クス

うん？

何だ、いつ出てきたんだ！
見つけた、ベッコウトンボ！
何だろう？すごいものでも撮れたのか？
ハッ

みんな走るぞ!!
ダメだ。行って確認しなきゃ！
スタタッ

ベッコウトンボとか、いろんなトンボがいたね。
でも、ハッチョウトンボは撮れてない。

もう時間がないから見つけられないかも。
さっきエッグ博士の頭の上に止まったとき撮っとけばよかったね。
残念。

エッグ博士、一度
ハッチョウトンボを呼んでみて！
エッグ博士のコミュニケーション
能力があれば可能かも。
え？

アシヒレ
（第２巻に登場するワン・サノのあだ名）
う～ん。
アシヒレに比べたら
僕のコミュニケーション
能力はアマチュア
だよ！
はっきり
覚えてる！
フン！

やってみなよ。
登録者の子どもたちが
希望してるはず～。
そうだよ、
そう～！
じゃ、やって
みるか……。
コホン

集中～、集中～、超集中！！
集
中

ハッチョウトンボさ～ん、
どこなの～！？
ガン
ガン
ビクッ

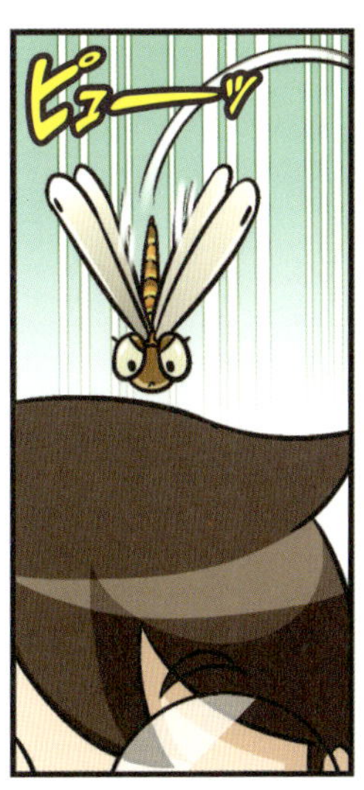

☆注意☆
シオカラトンボは他の小さなトンボを捕まえて食べることがあります。大あごの力が強く、かまれると痛いので、採集するときは注意しましょう。

フウ……！
助かった。
ヒョッコリ
ショック
ハッ！

おお！
鳥肌！
本当に通じた！
カシャッ
まず
撮ろう！！

待って……、
これハッチョウ
トンボじゃないん
じゃない？
誰を呼んだの、
エッグ博士？
誰なの、
君は？

ハッチョウ
トンボ
だよ。
え？ 僕らが
さっき見た
ハッチョウトンボと
違うけど？

さっき見た赤色の
ハッチョウトンボは
オスなんだ。
ハッチョウトンボのオス
ハッチョウトンボのメスは
こんな薄い黄色と茶色（や黒）の
横縞があるんだ。
オシャレな縞模様だね。
ハッチョウトンボのメス
ウワ！
不思議！
カシャッ

よし！ ハッチョウトンボのおかげで絶滅危惧種のトンボが２種撮れたよ！
このエッグ博士も貢献したよ～。
カシャッ

あそこだ！
ダダダダ
え!?

捕まえた!!
ガシャッ
ギャッ!!
ウワッ!

第12話 ハッチョウトンボの秘密

僕らがどうやって10本以上の映像を撮れたと思ってるんです？
先輩たちのようにルールを守っていたら、そんなに撮れなかったはずだよ～。
ゴールドバッジのためなら、このくらい！
ガガーン
スッ

そんなことあるもんか！
一番大事なのはいきものを尊重することだぞ！

プッ！はいはい～。
いきものを尊重～？それはあんたらのダサい考え方だよ～！
あ、あんたら!?

おかげで僕たちはいい映像がたくさん撮れたんだ。
何!?
ヤゴの脱皮映像も撮れたよ～。
僕らを真似たのか？

僕らが苦労して見つけたのに！
こいつら……！それで僕たちに接近したのか？
それは後輩と共有しなくちゃ～。

用は済んだ。おかげで登録者数も増えたし、脱皮映像も撮れた。
思ってもいなかった希少なトンボも捕まえられたし～。
僕らがゴールドバッジをもらったら見せてあげるよ！

あいつら……、本当は悪いやつらだったのか。
僕らを利用するとは!!
ちょっと様子がおかしいと思ってたんだ！
ブル
ブル
ムカッ
ブン

ブ～ン
あれ？　あれはハッチョウトンボのオスじゃない？

クル
クル

何だよ！
あっち行け！
ハッ！

あれ？返せ！
ビューーン
パシッ
あっ！取られた！

ピュー
捕まえろ!!
ピュー

ポトン

参加番号312番の「明日は採集王」チーム。
ルール1を破ったので、失格です！
管理責任者
ええ!??

ヒュ〜
か、管理責任者？
どうやってここが……。

こ、今回が初めてなんです。1度だけ目をつぶってください！
ゾロゾロ

ふ〜む、そうですか？ルールを初めて破ったんですね？
はい！もちろんです！
管理責任者
ペコッペコッ

さあ、じゃ、確認してみましょう。
ハッチョウトンボ、ビームプロジェクター実行！
ピタッ
管理責任者

ハッ！
なんと、あれは何!?
ジー

サー
サー
ジ～
いきものを尊重する気持ちがまったくないじゃないか！

これでもうそをつきますか？
これまで撮影された映像を見ると、「明日は採集王」チームは、ゴールドバッジのために欲張ったとしか思えないですね。
ドタッ
なんてひどい！

ど、どうやってあんな……。

初めに見たとき何か違和感があったけど、ロボットだったのか。
ロボット？

そうです。この子は
トンボキングを巡回するハッチョウトンボロボットです。
自己紹介します。
私の目にはカメラがついていて、音声も認識できます。
本当にそっくりだ!!
すごい技術力!
実物のトンボそっくりのはねで自由自在に飛行できます。
それに、トンボのようにあしに鋭いとげがあるのでものをつかむことができます。
話すとは……。
管理責任者

失敗だ……。もうおしまいだ……!
ウワァ
自業自得じゃないか!
ガクッ

だ、だけど、採集はいきもの観察の基本じゃないの?
……。

採集をして観察する行為に反対するわけではありません。ただ、トンボキングではいけないのです。
それはここをつくった目的と異なりますから。
つくった目的!?

ここはトンボの生息地を保護するためにつくられた体験学習の場です。絶滅危惧種の生物をはじめ、さまざまな生物が生きられるようにつくられています。
都市化によって湿地が消えたことで、ますますトンボが見られなくなっています。このままでは今はよく見られるトンボたちまで、絶滅危惧種になるかもしれません。ここでトンボたちが安全に過ごせるよう努力するのが、私たちの使命なのです。

トンボが絶滅したからって何が変わるってんだ……？
そう、最近都会ではトンボがなかなか見られないから。

トンボが絶滅した瞬間、僕らは力の餌食になるよ。
ビクッ
力の餌食!?

＊益虫：人の役に立つ昆虫やクモなど。

しばらくして
今回のトンボキング・ゴールドバッジの名誉ある受賞者は……。
優勝チーム発表
ザワザワ
消えゆくトンボをテーマに映像を制作したチーム・エッグです！
ワァァ
私どもトンボキングから優勝賞品を差し上げます。
パチパチ
パチパチ
おお～！トンボの人形！
バイバイ、ゴールドバッジ……！
チーム・エッグの皆さん、特別なプレゼントがまだ1つありますよん。
ついてきてくださいねん。
はい？
トンボキングスタッフ
うちの管理責任者からのプレゼントですよん。思う存分楽しんでくださいねん！
ヘルメットとゴーグル？

ウワ!!
あれ見て!!
トンボ軽飛行機体験場
ジャーン
本物の飛行機
じゃない!?

ブーン
ヤッホ〜！　僕たち、
トンボと一緒に
飛んでるよ!!
チーム・エッグ、ゴールドバッジを獲得！
ランボー：ワア！　チーム・エッグが
ゴールドバッジをもらった！
シュニー：おめでとうございます！
そう思ってました！
ソンジュイン：「明日は採集王」も出場して
なかったっけ？
ハヨン：トンボの動画楽しみにして
います！

数日後
～第5回ゴールドバッジ大会優勝チーム記念写真～
チーム・エッグ
事務所

忘れられない思い出になるよ。
そうだね、とってもいい経験だった。

「明日は採集王」チームも、心から反省したみたいだった。
うん？

みんな！「明日は採集王」の新しい動画がアップされたよ！

「ドクターエッグ５」おしまい。次回もお楽しみに！

エッグ博士の絵日記

オオカマキリがパートナーに会った日

家を出たオオカマキリを探しに行って、メスのカマキリどうしが激しくけんかしている場面を目撃した。なかなか見られない印象深い場面だった。

メスのカマキリたちのけんかをなんとか止めた後、家に帰ってきた。家に一緒に来たメスのカマキリは、幸いオスのオオカマキリのことがとても好きなようだった。

エッグ博士が書いた絵日記を見て、
空いたふきだしに合うセリフを書いてみましょう。

「明日は採集王」チームと池をつくった日

ゴールドバッジ大会騒動の後、「明日は採集王」チームが僕らをチャレンジに招待したので、池づくりの作業を一緒にすることになった。

雨がたくさん降ってできた水辺で、いろいろな水生生物が暮らし始めた。多くのいきものが安全に過ごせるよう、がんばって池をつくった甲斐があった。

解答の例：155ページ

チーム・エッグの制作日記①

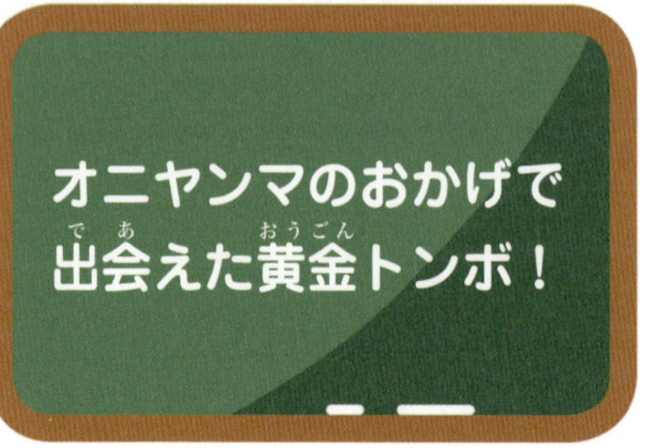

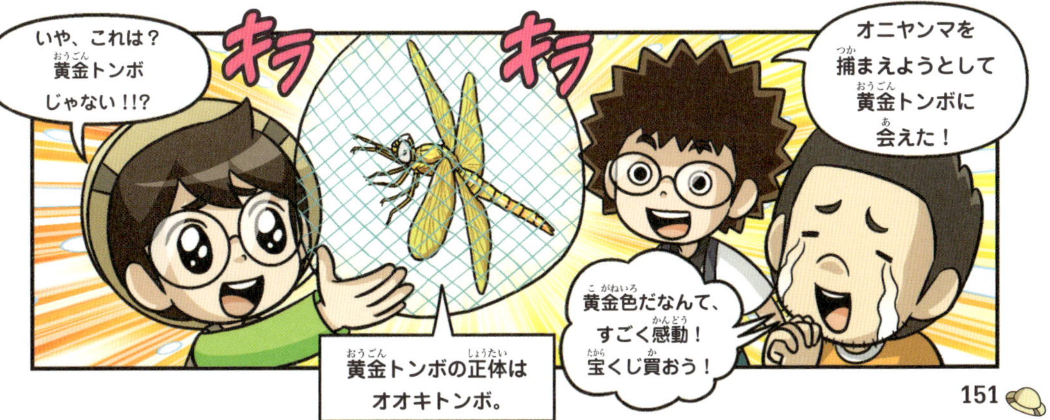

黄金トンボの正体は
オオキトンボ。

チーム・エッグの制作日記②

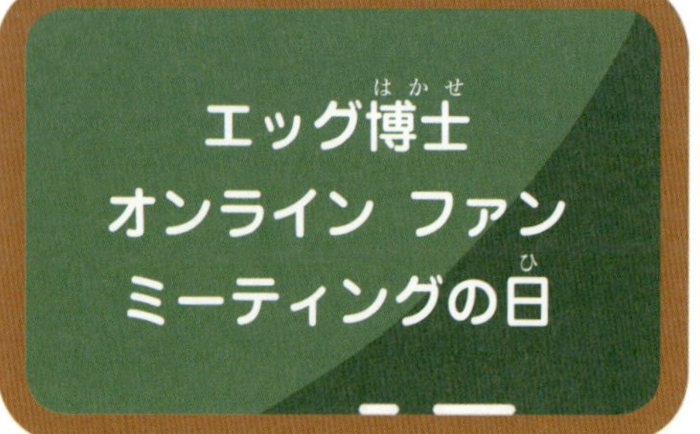

5分後
すみません！皆さん！
皆さんの熱い参加でコンピューターが少しの間不安定だったそうです～！
たくさんの視聴ありがとうございます！

熱心に待ってくれた皆さんのために博士たちが名前を1人1人呼びますね！
コクッ
いいですね？

はっ、速すぎる！
チヨン、ソンイ、ユリ、ジェホ、ヨンジェ、
パパパパ
スンウ：僕の名前も呼んでください！
スヨン：私の名前も！

今度は博士たちの特技を披露しま～す！
ジャジャーン
特技!?

ウン博士：ツクツクボウシの声帯模写
ツ……。
ツクツク
ボーシ！
ツクツク～！
ユンジ：ワア、本物のセミみたい！
ヨナ：恥ずかしそう。

ヤン博士：ムーンウォーク
次はヤン博士！
ズンチャッ
ズンチャッ
ジュニョク：何のダンス!?
ユチャン：ママがマイケル・ジャクソンのダンスだっていってる。

エッグ博士：ヒヒのまね
最後はエッグ博士！
ウォウォウォ
ジョンウ：これ笑える！
ダンビ：保存したい！

キャー、本当に楽しい時間でした！
また会いましょう！
愛してます！
もう終わったの？残念！
緊張した！
すごくはりきった！
楽しいオンラインファンミーティング終了。

クイズの答えを確認する番だよ。正解を確認してみてね。

76〜77ページ

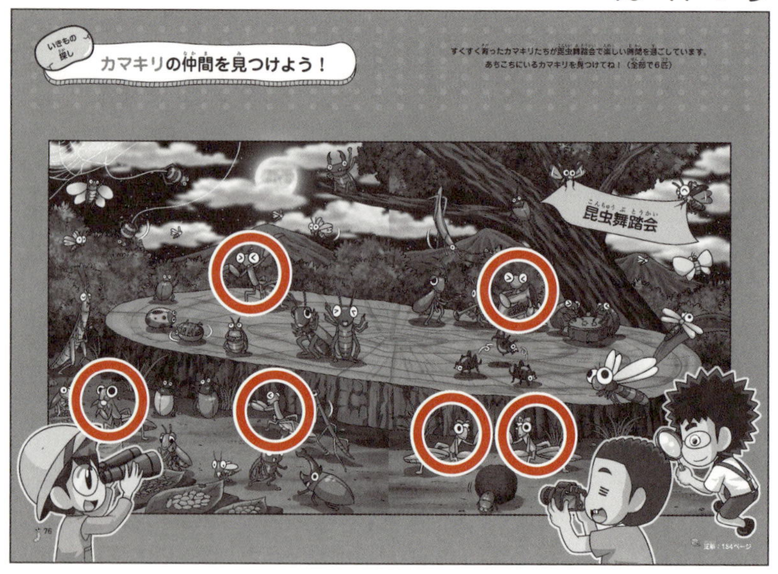
いきもの探し
カマキリの仲間を見つけよう！

すくすく育ったカマキリたちが昆虫舞踏会で楽しい時間を過ごしています。
あちこちにいるカマキリを見つけてね！（全部で6匹）

76

正解：154ページ

100〜101ページ

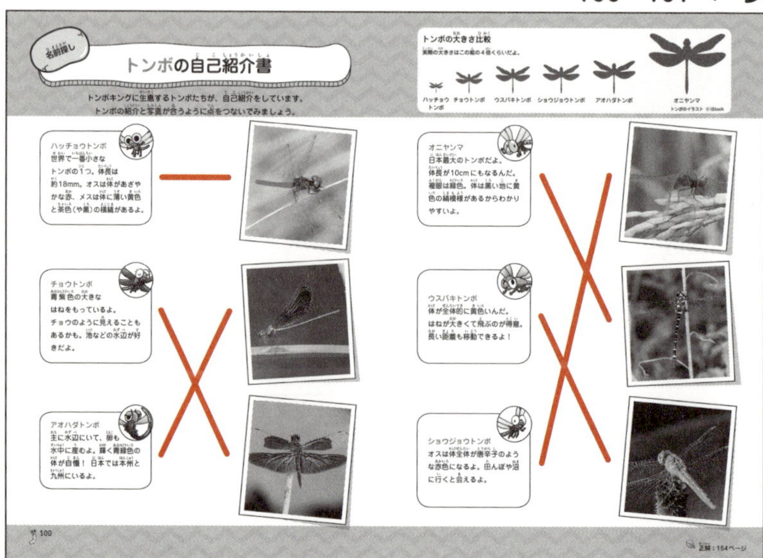
名前探し
トンボの自己紹介書

トンボキングに生息するトンボたちが、自己紹介をしています。
トンボの紹介と写真が合うように点をつないでみましょう。

トンボの大きさ比較
実際の大きさはこの絵の4倍くらいだよ。

ハッチョウトンボ　チョウトンボ　ウスバキトンボ　ショウジョウトンボ　アオハダトンボ　オニヤンマ
トンボのイラスト ©iStock

ハッチョウトンボ
世界で一番小さなトンボの1つ。体長は約18mm。オスは体があざやかな赤、メスは体に薄い黄色と茶色（や黒）の横縞があるよ。

チョウトンボ
青紫色の大きなはねをもっているよ。チョウのように見えることもあるかも。池などの水辺が好きだよ。

アオハダトンボ
主に水辺にいて、卵も水中に産むよ。輝く青緑色の体が自慢！ 日本では本州と九州にいるよ。

オニヤンマ
日本最大のトンボだよ。体長が10cmにもなるんだ。複眼は緑色。体は黒い地に黄色の縞模様があるからわかりやすいよ。

ウスバキトンボ
体が全体的に黄色いんだ。はねが大きくて飛ぶのが得意。長い距離も移動できるよ！

ショウジョウトンボ
オスは体全体が唐辛子のような赤色になるよ。田んぼや沼に行くと会えるよ。

100

正解：154ページ

122〜123ページ

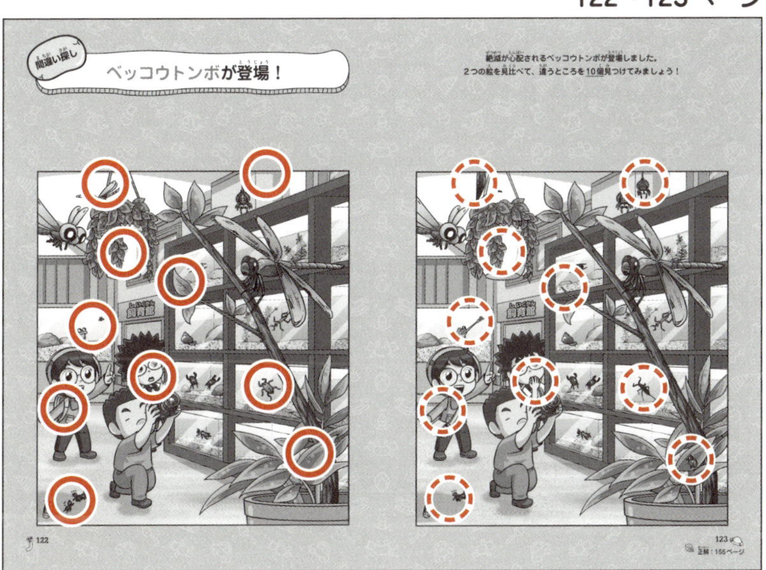

※解答の例

148〜149ページ

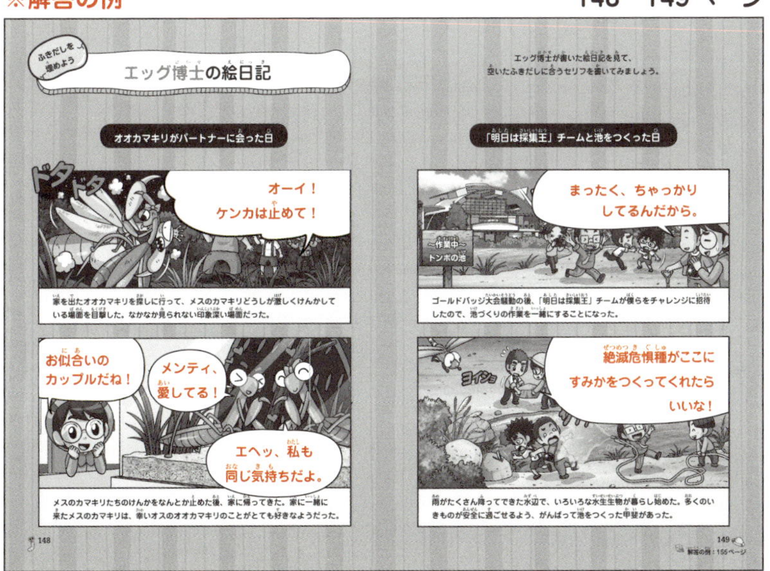

ドクターエッグ５　カマキリ・ナナフシ・アリジゴク・トンボ

2022年12月30日　第１刷発行

著　者　文　パク・ソンイ／絵　洪鐘賢（ホン ジョン ヒョン）
発行者　片桐圭子
発行所　朝日新聞出版
〒104-8011
東京都中央区築地5-3-2
編集　生活・文化編集部
電話　03-5541-8833（編集）
03-5540-7793（販売）

印刷所　株式会社リーブルテック

ISBN978-4-02-332205-9
定価はカバーに表示してあります

落丁・乱丁の場合は弊社業務部（03-5540-7800）へ
ご連絡ください。送料弊社負担にてお取り替えいたします。

Translation：Han Heungcheol / Kim Haekyong
Japanese Edition Producer：Satoshi Ikeda
Special Thanks：Kim Suzy / Lee Ah-Ram

(Mirae N Co.,Ltd.)

読者のみんなとの交流の場、「ファンクラブ通信」はクイズに答えたり、投稿コーナーに応募したりと盛りだくさん。「ファンクラブ通信」は、サバイバルシリーズ、対決シリーズ、ドクターエッグシリーズの新刊に、はさんであるよ。書店で本を買ったときに、探してみてね！

おたよりコーナー 1

ジオ編集長からの挑戦状

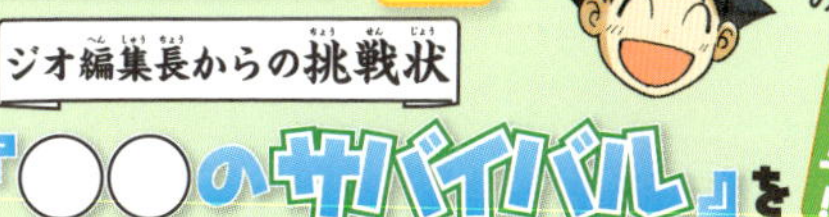

みんなが読んでみたい、サバイバルのテーマとその内容を教えてね。もしかしたら、次回作に採用されるかも!?

例

何かが原因で、ジオたちが小さくなってしまい、知らぬ間に冷蔵庫の中に入れられてしまう。無事に出られるのか！？（9歳・女子）

おたよりコーナー 2

キミのイチオシは、どの本!?

サバイバル、応援メッセージ

キミが好きなサバイバル1冊と、その理由を教えてね。みんなからのアツ〜い応援メッセージ、待ってるよ〜！

例

鳥のサバイバル

ジオとピピの関係性が、コミカルですごく好きです!! サバイバルシリーズは、鳥や人体など、いろいろな知識がついてすごくうれしいです。（10歳・男子）

上手い！

みんなが描いた似顔絵を、ケイが選んで美術館で紹介するよ。

例

みんなからのおたより、大募集！

❶コーナー名とその内容
❷郵便番号 ❸住所 ❹名前 ❺学年と年齢
❻電話番号 ❼掲載時のペンネーム(本名でも可)

を書いて、右記の宛先に送ってね。
掲載された人には、
サバイバル特製オリジナルグッズをプレゼント！

●郵送の場合
〒104-8011 朝日新聞出版 生活・文化編集部
サバイバルシリーズ ファンクラブ通信係
●メールの場合
junior @ asahi.com
件名に「サバイバルシリーズ ファンクラブ通信」と書いてね。

ファンクラブ通信は、サバイバルの公式サイトでも見ることができるよ。

科学漫画サバイバル

※応募作品はお返ししません。
※お便りの内容は一部、編集部で改稿している場合がございます。

各1320円(税込み)、B5変

ASAHI
朝日新聞出版